24 histoires de Noël

Graphisme : Jessica Papineau-Lapierre

Illustrations : Lukaël Bélanger

Rédaction : Annie Bacon

Narration : Stéphanie Deschamps

Enregistrement et montage sonore :
Studio Mandragore

© Les Éditions Coup d'œil, 3e trimestre 2012

Imprimé en Chine

ISBN : 978-2-89690-387-0

TABLE DES MATIÈRES

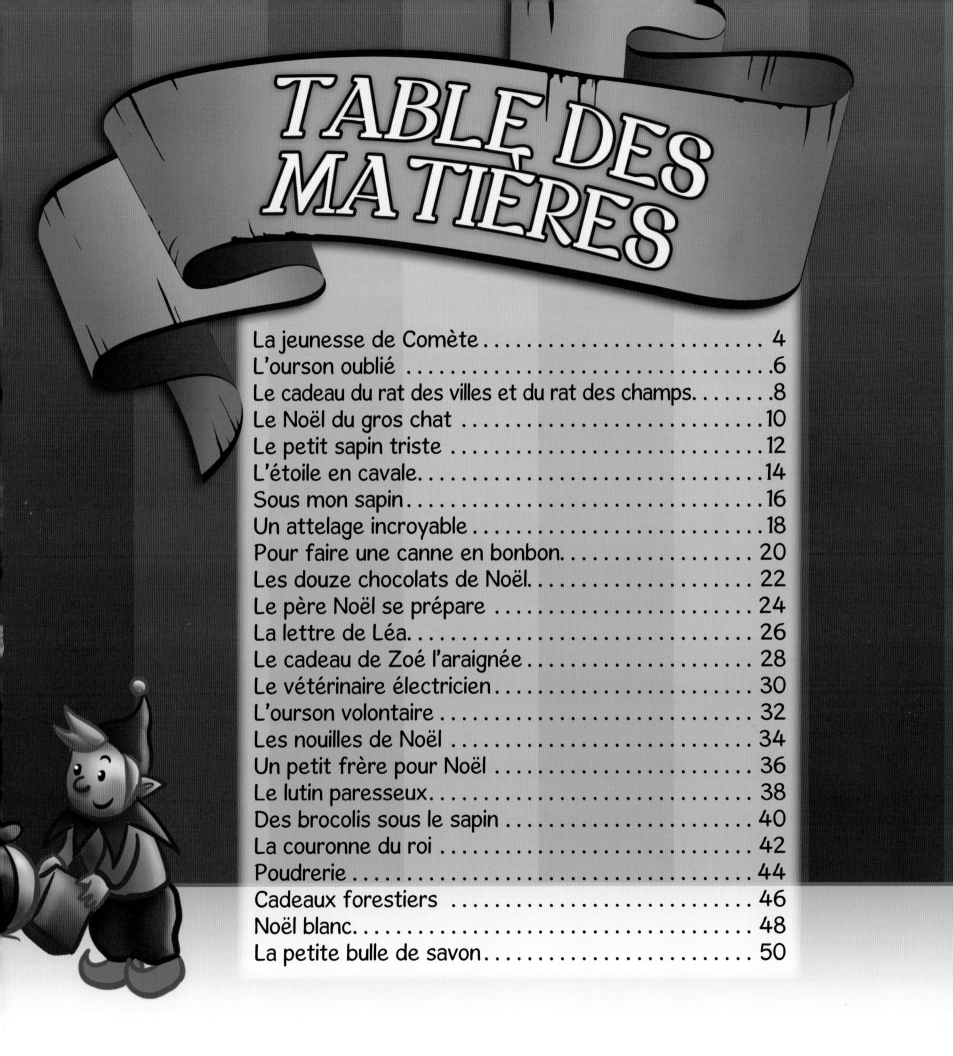

LA JEUNESSE DE COMÈTE

Un jour, en Laponie, naquit un petit renne possédant des habiletés exceptionnelles pour la course. À deux ans, il filait si vite que ses parents ne pouvaient le rattraper. Il devint l'éclaireur du troupeau et passait ses journées à courir dans les steppes gelées à la recherche de délicieuses talles de lichen à grignoter. «Cataclop, cataclop!» faisaient ses petits sabots sur la neige.

Par un hiver glacial, la nourriture vint à manquer. Soucieux de ne pas décevoir son troupeau, le petit renne décida de pousser son exploration au-delà des limites de son territoire.
«Cataclop, cataclop!» faisaient ses petits sabots sur la neige.

Il suivit le cours d'une rivière glacée en redoublant l'allure pour couvrir le plus de territoire possible avant la tombée de la nuit. «Cataclop, cataclop, zwiiiiiiii!» firent ses petits sabots sur la glace. Le petit éclaireur glissa en direction d'une chute gelée. Arrivé à la falaise, le renne décolla. Porté par son élan, il survola la mer sur des kilomètres, pour achever sa course devant l'entrée du village du père Noël. Ce dernier lui fit manger du lichen magique qui donne aux rennes le pouvoir de voler, et c'est par la voie des cieux que le petit renne put porter à sa tribu deux grosses bottes de foin. Et il leur promit de revenir passer ses vacances d'été avec eux!

L'OURSON OUBLIÉ

Avant de partir en traîneau, les lutins du père Noël mirent tous les jouets dans son grand sac. Tous, sauf un petit ourson en peluche.

– Pas lui! avait ordonné l'homme à la barbe blanche.

Le cœur du petit ourson se fendit en deux.

– Pourquoi pas moi? sanglotait-il.

Il se traîna jusqu'au miroir le plus proche et tenta de trouver la cause de ce rejet. Ses yeux d'ébène, dont il était si fier, lui semblèrent soudain bien ternes. Il se mit à douter de la douceur de son poil, de l'éclat de son museau, du confort de sa bourrure. Pendant de longues heures, il arpenta les corridors vides de l'usine de jouets en reniflant son chagrin.

Lorsque le père Noël rentra de sa tournée, sa première pensée fut pour le petit ours de peluche.

– Ça y est, il va me punir ou, pire, me jeter à la poubelle, pensa l'ourson.

Le père Noël le serra plutôt dans ses bras.

– Ho! ho! ho! J'avais si hâte de te retrouver, petit cadeau.

L'ourson n'y comprenait rien. Le matin se levait sur le pôle Nord, et tous les enfants de la planète avaient déjà reçu leurs jouets.

Le père Noël le serra plus fort encore, et déclara:

– Moi aussi, j'ai été sage cette année!

LE CADEAU DU RAT DES VILLES ET DU RAT DES CHAMPS

Le rat des villes et le rat des champs ne s'étaient pas parlé depuis des lustres. Une histoire de souper et d'attaque de chat avait créé un différend. Depuis, chacun se morfondait, seul dans son trou.

Quelle ne fut pas la surprise du rat des villes, au matin du 25 décembre, de trouver sous son arbre un cadeau étiqueté au nom de son cousin de la campagne !

– Quel étourdi, ce père Noël ! Il a dû apporter mon cadeau chez le rat des champs !

Il enfila son foulard et sa redingote doublée. Le cadeau entre les dents, il sortit et trottina jusqu'à l'orée de la ville. Une silhouette traversait la prairie en sens inverse. Un cadeau entre les pattes, le rat des champs venait à sa rencontre.

L'échange des colis se fit dans une atmosphère lourde, nul ne sachant que dire pour effacer la querelle passée. Ils se concentrèrent plutôt sur leurs paquets à déballer. Scritch ! scratch ! Le papier coloré vola dans tous les sens. Le rat des villes et le rat des champs reçurent chacun un album souvenir contenant des photos de leurs plus belles aventures.

– Tu te souviens, lorsque nous avons...

– Ah oui ! Et lorsque nous avons...

Il n'en fallait pas plus, et c'est bras dessus, bras dessous que les deux compères entrèrent dans le plus proche café, pour s'y réchauffer les moustaches.

Le père Noël s'était-il vraiment trompé ?
Après tout, il n'y a pas de plus beau cadeau que l'amitié !

9

Au matin du 25 décembre, un gros matou paresseux somnolait près du foyer. Il imaginait rêveusement toutes les choses qui lui feraient plaisir en cette journée de Noël.

Que des souris bien grasses passent à portée de patte serait un bon début.

Il rêva par la suite d'un coussin bien dodu!

Une machine à gratter derrière les oreilles
Serait, certes, un cadeau sans pareil!

Et si les chiens du quartier
Perdaient leurs dents une belle journée?

Tout en poussant des tonnes de ronrons,
Il souhaita que se renverse l'aquarium du salon!

Et qu'il lui pousse une paire d'ailes
Pour attraper les hirondelles.

Que le rayon de soleil par la fenêtre
Atterrisse sur les genoux de son maître,
Mieux encore, que sa maîtresse
Lui prodigue mille caresses.

Tant de cadeaux merveilleux,
Pour un gros chat paresseux.

Et ainsi passèrent les heures entre sommeil et éveil. Lorsqu'il ouvrit enfin les yeux, le calendrier indiquait : 26 décembre.

Il avait dormi toute la journée! Foi de matou, comme cadeau de Noël, il n'aurait pas rêvé mieux!

LE PETIT SAPIN TRISTE

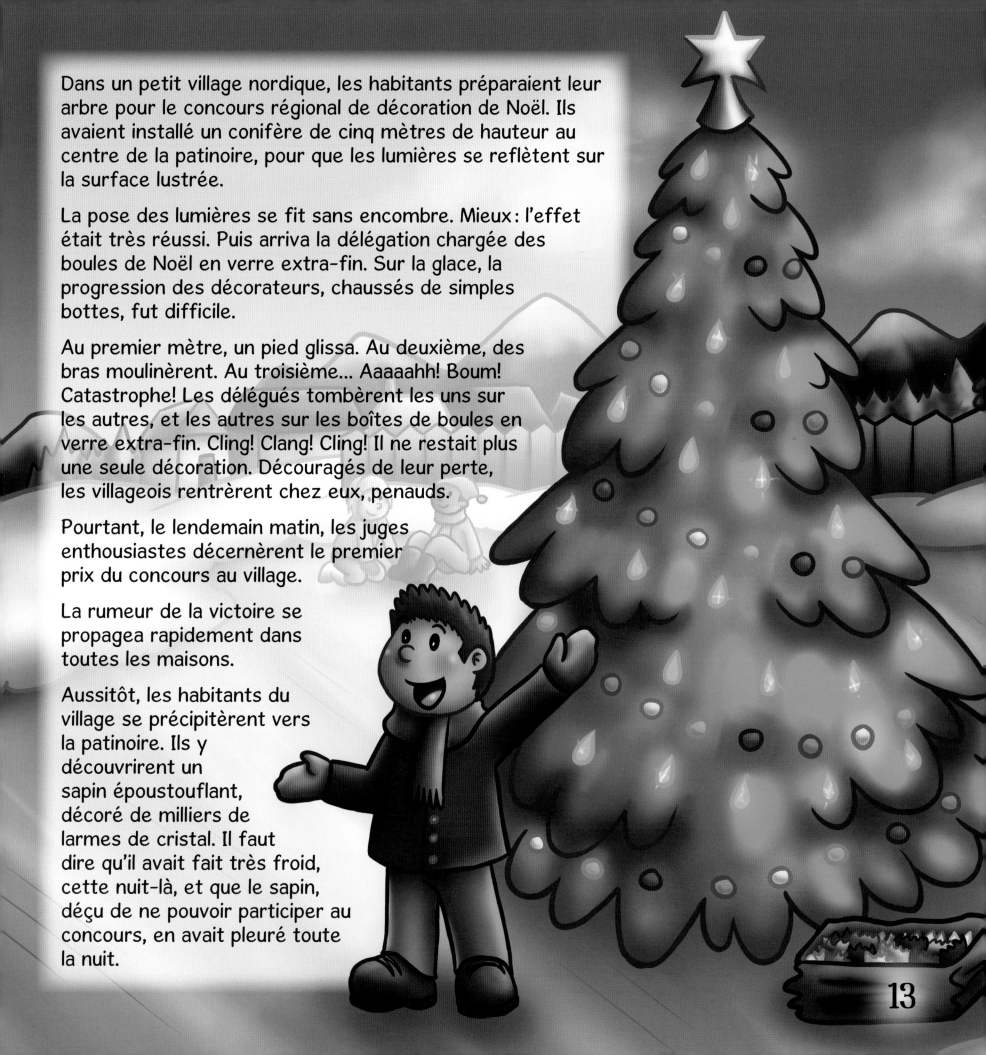

Dans un petit village nordique, les habitants préparaient leur arbre pour le concours régional de décoration de Noël. Ils avaient installé un conifère de cinq mètres de hauteur au centre de la patinoire, pour que les lumières se reflètent sur la surface lustrée.

La pose des lumières se fit sans encombre. Mieux : l'effet était très réussi. Puis arriva la délégation chargée des boules de Noël en verre extra-fin. Sur la glace, la progression des décorateurs, chaussés de simples bottes, fut difficile.

Au premier mètre, un pied glissa. Au deuxième, des bras moulinèrent. Au troisième... Aaaaahh! Boum! Catastrophe! Les délégués tombèrent les uns sur les autres, et les autres sur les boîtes de boules en verre extra-fin. Cling! Clang! Cling! Il ne restait plus une seule décoration. Découragés de leur perte, les villageois rentrèrent chez eux, penauds.

Pourtant, le lendemain matin, les juges enthousiastes décernèrent le premier prix du concours au village.

La rumeur de la victoire se propagea rapidement dans toutes les maisons.

Aussitôt, les habitants du village se précipitèrent vers la patinoire. Ils y découvrirent un sapin époustouflant, décoré de milliers de larmes de cristal. Il faut dire qu'il avait fait très froid, cette nuit-là, et que le sapin, déçu de ne pouvoir participer au concours, en avait pleuré toute la nuit.

13

L'ÉTOILE EN CAVALE

Une étoile solitaire, un astre millénaire, se morfondait dans son ciel obscurci.

— Pfffhh! Comme je m'ennuie!

À des années-lumière, sur une planète nommée Terre, elle remarqua de l'activité.

— Ah, ah! Voilà de quoi m'amuser!

Elle fila vers la planète intrigante, à l'autre bout de l'univers, et arriva dans un village quelques jours avant le réveillon. Elle virevolta à droite et à gauche, étourdie par tant de lumières, de mouvement et d'animation.

VROUM! Un camion boueux faillit la percuter.

WOUF, WOUF! Un gros chien mal léché tenta de l'attraper.

AHHHH! Des passants la chassèrent d'une main inquiète.

— Nom d'une nébuleuse, je dois trouver une cachette!

Vole, vole! La petite voyageuse se chercha un abri, une tanière, un endroit isolé d'où observer toute cette agitation en paix. Mais plus elle s'enfonçait vers les coins sombres et discrets, plus son scintillement attirait les curieux.

Une petite souris lui fit signe. «Suis-moi», indiquait le mouvement de ses moustaches.

Squik, squik, vole, vole! Toutes deux filèrent entre les jambes des passants jusqu'à la place de la mairie, où se dressait le grand arbre de Noël. Tout en haut du sapin, trônait une étoile de plastique.

Le petit astre en cavale la remplaça au sommet,
Et de son perchoir profita des festivités de Noël!

On dit même que, non pressée de retourner
vers le ciel, l'étoile y resta jusqu'à la mi-janvier.

SOUS MON SAPIN

Sous mon sapin, il y a...
Un coquet village blanc
Autour d'un faux lac gelé
Sur lequel deux ou trois enfants
Glissent toute la journée

Sous mon sapin, il y a...
Un chaton bien endormi
Qui ronronne doucement
Il rêve d'une souris
À se mettre sous la dent

Sous mon sapin, il y a...
Des cadeaux multicolores
Un pour toi et deux pour moi
Nous en aurons d'autres encore
Lorsque le père Noël viendra

Sous mon sapin, il y a...
Des épines éparpillées
Tombées lorsqu'on décorait
Elles crépitent sous le pied
Et se moquent du balai

Sous mon sapin, il y a...
Une souris très coquine
Qui escalade le tronc
Cherchant une grignotine
Elle réveille le chaton

Miaou! Squeek! Bing! Bang! Cling! Clang!
CRAC!

Sous mon sapin, il y a...
Tout à refaire à cause de deux coquins!

UN ATTELAGE INCROYABLE

On connaît bien Rudolphe, dont le nez illuminé guide le traîneau du père Noël. Mais connaissez-vous les autres rennes du père Noël?

Tornade ne range jamais rien, sa chambre est sens dessus dessous. Lorsqu'on y entre, on dirait bien qu'elle loge un tourbillon fou.

Danseur marche mieux que personne, chaque pas est une pirouette. Il se déhanche, ses clochettes sonnent, il trotte comme d'autres font des claquettes.

Il y a une raison pour laquelle Cupidon est ainsi nommé : c'est grâce à lui que père Noël a rencontré sa bien-aimée.

Furie a tout un caractère, surtout lorsqu'il n'a pas mangé. Il pique de terribles colères dès que l'on touche à sa moulée.

Fringant, lui, peut courir des heures, sans pour autant se fatiguer. Il serait même à son meilleur quand le père Noël est pressé.

Quiconque voit Comète passer sera porté à faire un vœu. Il est d'une telle rapidité qu'il trace une traînée dans les cieux.

Les quatre sabots de Tonnerre résonnent si bien sur le pavé qu'on dit qu'il fait un bruit d'enfer, à chacune de ses arrivées.

Éclair, lui, à ce qu'on dit, ne porte pas ce nom pour la foudre, mais parce qu'il aime cette pâtisserie, surtout avec du sucre en poudre.

Le père Noël les aime tous. Et toi, quel est ton préféré ?

19

Un hiver, la petite Lily fut amenée au village du père Noël pour passer la journée avec les lutins. Ils promirent de répondre à une question, une seule, qu'elle pouvait leur poser.

Lily, qui était gourmande, demanda:
«Quelle est la recette des cannes en bonbon?»

Voici ce que les lutins répondirent:

Blanches, rouges et vertes,
Brassez d'une main experte
Un peu de sucre candi,
Ajoutez de l'eau givrée,
Puis quelques bisous sucrés,
Pour faire plaisir à mamie.

Vertes, blanches et rouges,
Quand plus rien ne bouge,
C'est que la pâte est prise.

Saupoudrez d'étoiles aux yeux,
Macérées un jour ou deux,
Dans le jus de trois cerises.

Rouges, vertes et blanches,
Des rires en avalanche
Peuvent aussi être ajoutés,
Puis, pour donner la forme,
Mettre dans un moule énorme.
Ne reste plus qu'à enfourner!

Blanches, vertes et vermillon,
Dansez ensuite tous en rond,
Rouges, blanches et vert sapin,
Jusqu'au lendemain matin!

En chantant la ritournelle, les lutins s'exécutèrent, si bien que Lily put bientôt déguster elle-même cette friandise qu'on ne mange qu'à Noël.

21

La famille Robinson comportait douze enfants : Chantale, Louise, Claudette, André, Yvon, Anne, Louis, Michel, Philippe, Antoine, la belle Zoé, et finalement, le petit Marcel.

Chaque année, un vieil oncle barbu leur offrait à tous un calendrier de l'avent. Vingt-quatre portes s'ouvraient pour révéler un chocolat au lait, doux et sucré à souhait. À douze enfants pour vingt-quatre portes, l'attente était longue et les chocolats peu nombreux.

Le premier du mois, Chantale goba le chocolat.

Le deuxième jour, Louise poussa des cris de joie.

Le trois décembre, Claudette laissa fondre le sien jusqu'au goûter.

André, le lendemain, n'en fit qu'une seule bouchée.

Et ainsi de suite jusqu'au petit Marcel. Une fois le premier chocolat goûté, l'attente devenait insoutenable. Une fois le deuxième avalé, une profonde tristesse s'installait. Si bien qu'au matin du 25, douze petits minois tristes contemplaient le calendrier vide. Scratch, clic, tip, Marcel referma sa porte de carton ouverte la veille pour l'ouvrir à nouveau, recherchant dans ce simple geste un soupçon du bonheur passé. AAAAHHH ! Surprise et consternation : un nouveau chocolat y était apparu ! Chaque frère et sœur recommença la manœuvre et se vit récompensé d'une nouvelle portion chocolatée !

Le matin de Noël est un moment magique.

Qui sait ce qui peut arriver !

23

LE PÈRE NOËL SE PRÉPARE

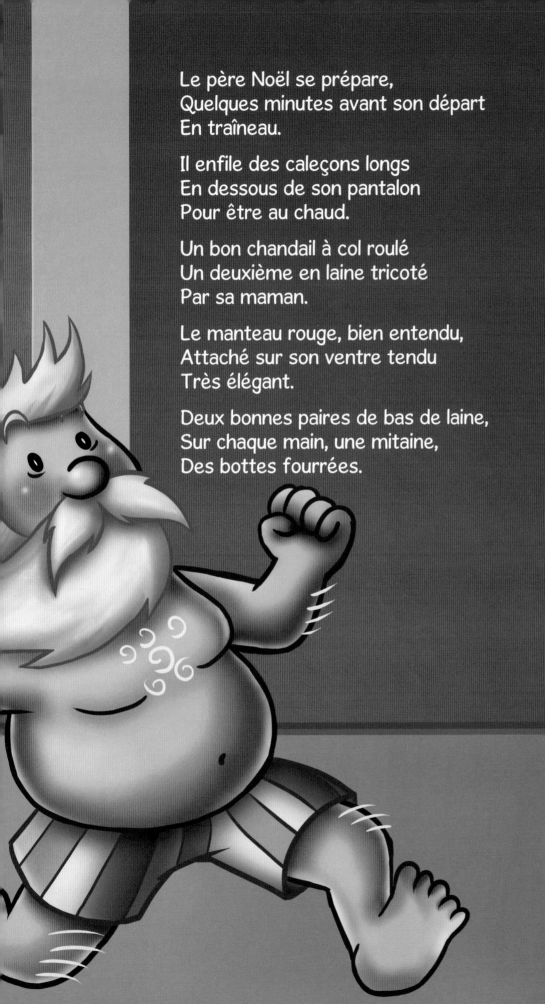

Le père Noël se prépare,
Quelques minutes avant son départ
En traîneau.

Il enfile des caleçons longs
En dessous de son pantalon
Pour être au chaud.

Un bon chandail à col roulé
Un deuxième en laine tricoté
Par sa maman.

Le manteau rouge, bien entendu,
Attaché sur son ventre tendu
Très élégant.

Deux bonnes paires de bas de laine,
Sur chaque main, une mitaine,
Des bottes fourrées.

Ne manque plus que le bonnet,
Et le père Noël est prêt
Pour sa tournée.

Mais zoup, zoup, zoup!
Que se passe-t-il?
Papa Noël se déshabille!
C'est insensé!

Devant les rennes qui s'impatientent
Et mère Noël qui se tourmente.
Qu'a-t-il oublié?

Il enlève foulard et manteau,
Chandail de laine et grand chapeau,
Bottes et caleçons!

Alors que tous l'attendent dehors,
Il file dans le corridor
De la maison.

Même s'il prend un peu de retard,
Il trouvera bien plus tard
Un raccourci!

Parce qu'avant de partir en voyage,
Il est toujours beaucoup plus sage,
De faire pipi.

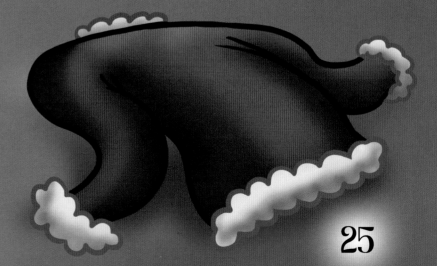

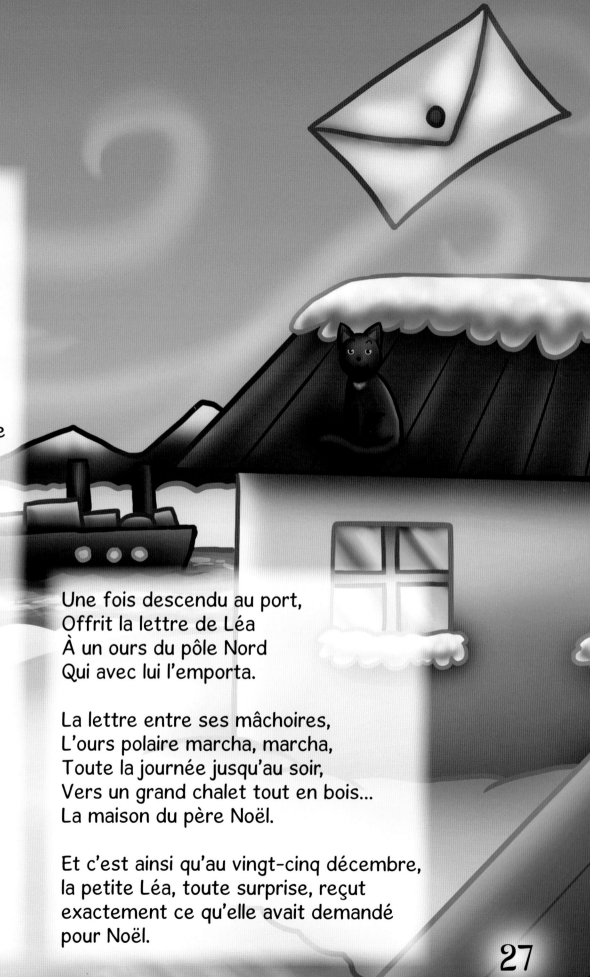

Léa avait préparé une très
belle lettre au père Noël.
Elle y avait mis tout son cœur,
avait tracé les lettres elle-même
et avait même ajouté des brillants.
Alors que la fillette toute fière
emportait le chef-d'œuvre vers
la boîte aux lettres, elle trébucha
dans la neige.

Fffffffff! Le vent emporta la missive
Qui, dans les rues, tourbillonna,
En trois pirouettes successives,
La fit grimper jusqu'aux toits.
Un chat passant par la gouttière
La renifla et la traîna,

Collée à ses pattes de derrière,
Jusqu'à un pont la transporta.
La colle étant très délicate,
Au-dessus du fleuve, se décolla,
Disant : « Salut, j'me carapate. »
La petite lettre tomba, tomba.
Elle atterrit au bastingage
D'un paquebot qui passait par là
Et partit pour un long voyage
Vers les pays où il fait froid.

Un matelot qui vit la lettre
La retourna entre ses doigts.
« Elle s'est perdue, je vais la mettre
bien au chaud sous mon parka. »

Une fois descendu au port,
Offrit la lettre de Léa
À un ours du pôle Nord
Qui avec lui l'emporta.

La lettre entre ses mâchoires,
L'ours polaire marcha, marcha,
Toute la journée jusqu'au soir,
Vers un grand chalet tout en bois...
La maison du père Noël.

Et c'est ainsi qu'au vingt-cinq décembre,
la petite Léa, toute surprise, reçut
exactement ce qu'elle avait demandé
pour Noël.

27

LE CADEAU DE ZOÉ L'ARAIGNÉE

Zoé l'araignée fut tout étonnée de voir apparaître un sapin illuminé dans la maison du maraîcher où elle avait élu domicile. Ses colocataires humains avaient dû l'installer pendant qu'elle faisait la sieste. Plus elle regardait les boules brillantes accrochées aux branches vert foncé et plus elle était prise d'un fort désir de participer à une telle œuvre. Dès que la maisonnée fut endormie, elle se mit au travail et tissa au centre de l'arbre la plus jolie toile possible. Ses fils étaient bien réguliers, pas une seule maille n'y manquait.

Malheureusement, au matin, lorsque le maraîcher découvrit sa contribution, il alla illico chercher le plumeau pour en débarrasser son sapin.

– Une toile d'araignée! Quelle horreur!

Zoé ne se laissa pas abattre. Soir après soir, elle recommença, tentant chaque fois de réussir une dentelle plus coquette et plus élaborée. Chaque matin, le résultat était le même. Un coup de plumeau, un «Quelle horreur!», et il n'en restait plus rien.

La fée des étoiles, émue par l'ardeur de notre tricoteuse, lui fit un bien joli cadeau. D'un coup de baguette, elle lui offrit le don de tisser du fil argenté. Depuis, l'araignée ne tisse plus que des guirlandes, et tous les gens du village lui ouvrent leur porte pour qu'elle décore leur sapin.

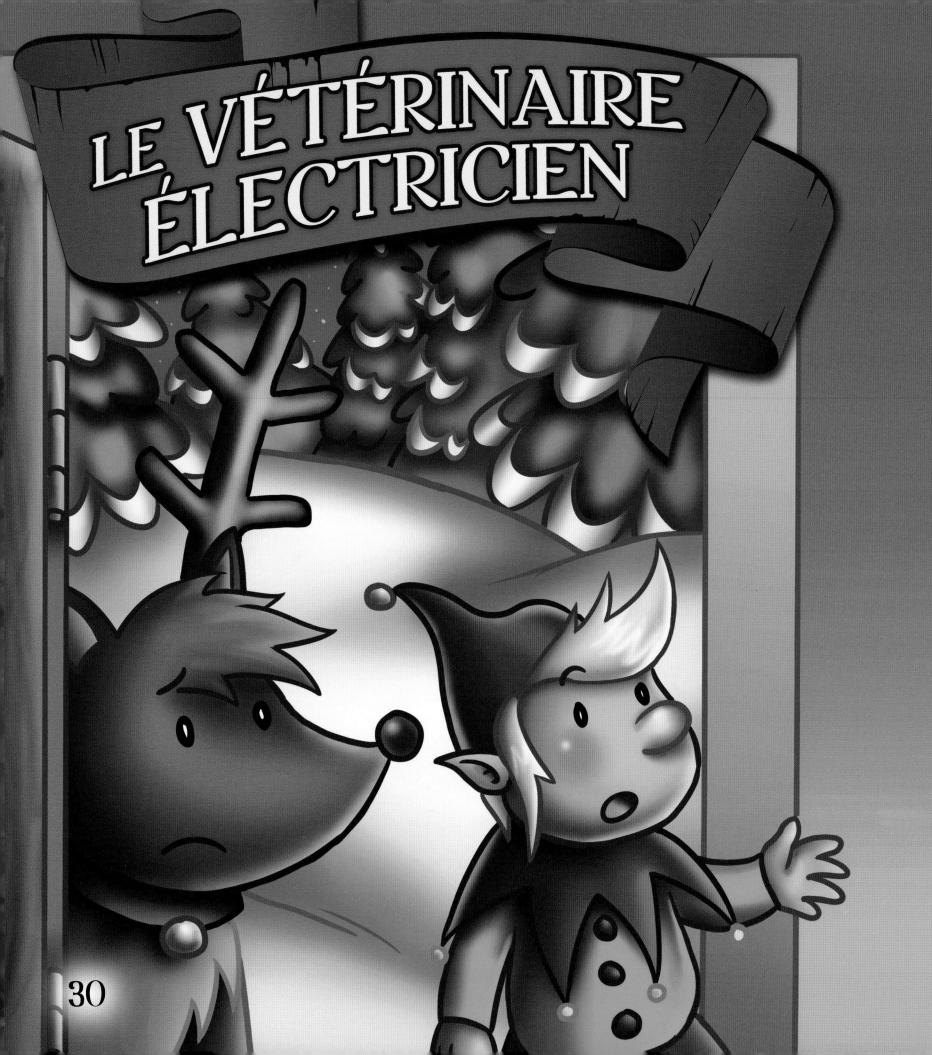

Monsieur Godbout avait deux passions. Vétérinaire de métier, il adorait soigner les animaux. Il savait les calmer et découvrir s'ils étaient malades ou bien portants juste en les regardant dans les yeux. Mais lorsque aucun fermier des environs ne faisait appel à ses services, on pouvait le trouver dans son atelier d'électronique. Des heures durant, il y bidouillait des lumières extravagantes qui clignotaient en alternance pour former d'étranges motifs.

Lorsqu'il s'occupait à son passe-temps, il s'ennuyait des animaux. Lorsqu'il était auprès de ceux-ci, il ne pensait qu'à ses fils et à ses outils. Incapable de choisir entre ces deux activités, il prit congé pour réfléchir.

Toc, toc, toc.

– Monsieur Godbout? On a besoin de vous!

L'interpellé maugréa.

– Je ne travaille pas aujourd'hui. Adressez-vous au vétérinaire du village voisin.

– C'est impossible! Il s'agit d'un patient que vous seul pouvez aider!

Bien qu'adorant son métier, monsieur Godbout savait pertinemment qu'il n'était pas le meilleur soigneur du comté.

Pourquoi donc un patient aurait-il eu besoin de lui et de personne d'autre?

Intrigué, il ouvrit la porte. Un traîneau l'attendait, tiré par huit rennes.

– C'est Rudolph, son nez ne s'allume plus! expliqua un lutin sur le pas de la porte.

Et c'est ainsi que monsieur Godbout, vétérinaire électricien, devint le médecin personnel du petit renne au nez rouge.

L'OURSON VOLONTAIRE

Boris l'ourson habitait au pôle Nord, à quelques pas du village de Noël. Un jour de décembre, il passa la barrière de bonbons à la menthe pour offrir ses services.

— Rennes, beaux rennes, qui tirez le traîneau, puis-je, moi aussi, transporter les cadeaux ?

Les rennes contemplèrent les yeux pleins d'espoir de l'ourson à truffe noire... et éclatèrent de rire.

— Ha ! ha ! ha ! Pauvre petit volontaire, saurais-tu voler tout autour de la terre ?

Boris dut avouer qu'il ne pouvait quitter le sol. Penaud, il continua son chemin jusqu'à l'usine des lutins.

— Lutins, chers lutins, qui exaucez les vœux, puis-je, moi aussi, rendre les gens heureux ?

Les lutins contemplèrent les yeux pleins d'espoir de l'ourson à truffe noire... et éclatèrent de rire.

— Hi ! hi ! hi ! Pauvre petit volontaire, saurais-tu construire un chemin de fer ?

Boris dut avouer qu'il ne savait construire ni ballon ni poupée. Il continua son chemin jusqu'à la maison du père Noël.

— Petit papa Noël, qui êtes un peu magique, puis-je participer à cette nuit fantastique ?

Le père Noël contempla les yeux pleins d'espoir de l'ourson à truffe noire... et éclata de rire lui aussi.

— Ho ! ho ! ho ! Bien sûr, petit volontaire ! Pour répandre la joie, tout le monde sait y faire !

Boris dut avouer que, pour la joie, il était doué ! Et c'est en affichant un grand sourire contagieux qu'il retourna chez lui, parfaitement comblé.

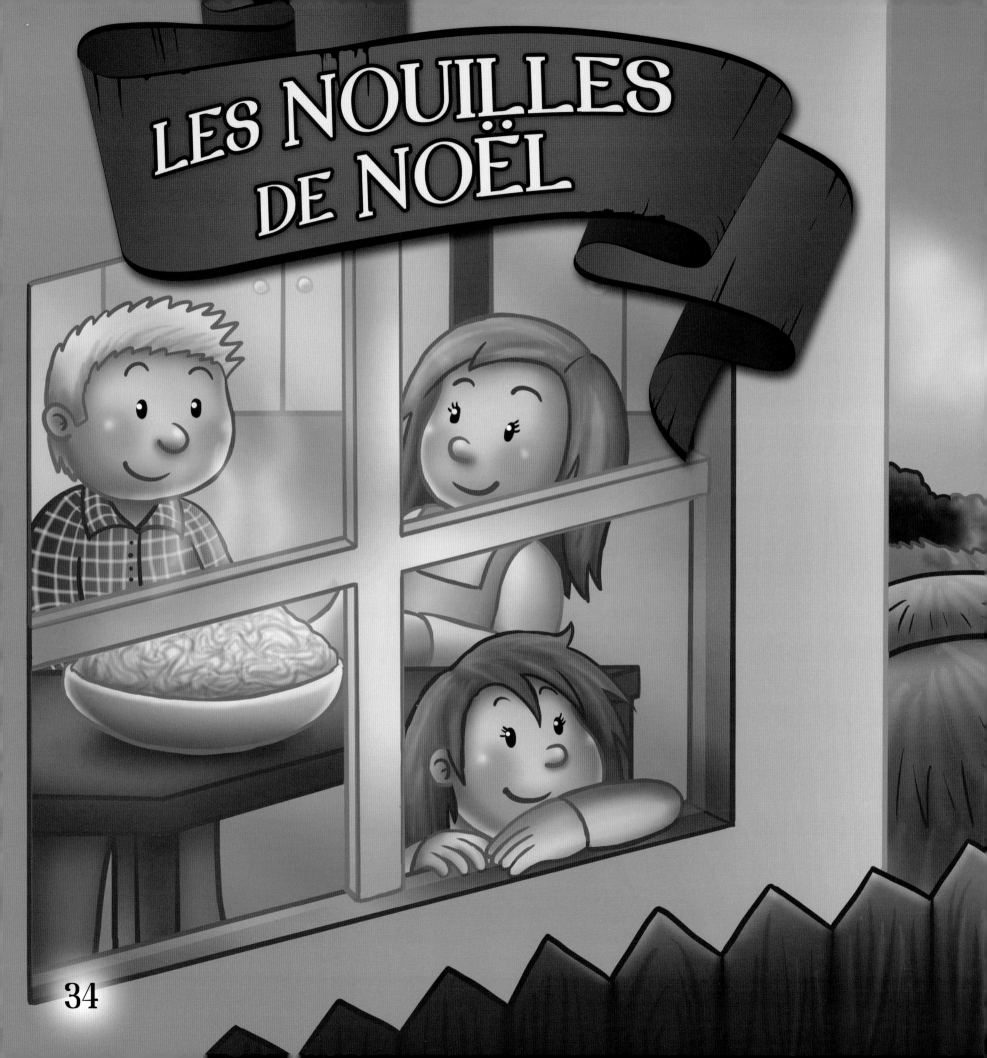

LES NOUILLES DE NOËL

Jacques Dupuis et sa compagne
Habitaient à la campagne.
Leur fillette, Mélanie,
S'y morfondait d'ennui.

Lorsque l'automne arriva,
Le père choisit, pour le repas
Du soir de l'Action de grâce,
Une dinde bien grasse!

«Mais c'est ma seule amie!»
Déclara, en larmes, Mélanie
Qui passait tous les jours
De longues heures dans la basse-cour.

Ému par cette amitié,
Le père changea le souper,
Ils mangèrent, cornegidouille,
Un gros plat de nouilles!

Ils filèrent des jours tendres,
Puis arriva la fin décembre.
Le vingt-quatre aux matines
Monsieur Dupuis fit la cuisine.

Il se gratta un peu la tête,
Puis déclara: «Puisque c'est fête,
Ce soir, pour le réveillon,
Dinde aux marrons!»

En apprenant le menu,
Mélanie tomba des nues.
Elle supplia son papa:
«Tu ne peux pas me faire ça!»

Son père, ému jusqu'aux larmes,
Finit par rendre les armes.
Ils mangèrent, cornegidouille,
Un gros plat de nouilles!

Le lendemain, c'est tradition,
Ils recevaient à la maison
Tantes, oncles, neveux et nièces,
Ça se pressait dans toutes les pièces.

Madame Dupuis, bien énervée,
S'inquiétait pour son souper!
«Pourvu que tout le monde apprécie
Ma dinde farcie!»

Mélanie implora sa mère.
Ses deux parents s'exaspérèrent.
«Cette dinde a été engraissée
Pour être mangée!»

Devant une paire d'yeux qui se mouillent,
Que peut faire une mère au grand cœur?
Ils mangèrent, cornegidouille,
Des nouilles au beurre!

UN PETIT FRÈRE POUR NOËL

Le père Noël déposait les cadeaux sous l'arbre de Samuel et de sa famille lorsque les lumières du salon s'allumèrent.

– Je ne veux pas de ton cadeau! Tu peux le reprendre!

Surpris, le père Noël se retourna et découvrit, dans l'escalier, Samuel lui-même en pyjama de flanelle. Le garçon était écarlate de colère.

– Ho! ho! ho! Mais tu ne l'as même pas encore déballé! dit le père Noël en pointant un paquet argenté sous le sapin.

– Je ne parle pas de celui-là! Ma mère est revenue de l'hôpital ce matin, en disant que j'avais un petit frère pour Noël. Ce n'est pas du tout ce que j'avais demandé!

Le barbu au manteau rouge comprit mieux la colère du garçon. S'agenouillant devant lui, il lui fit une offre : il reviendrait l'année suivante, et prendrait le petit frère si Samuel n'en voulait toujours plus. «Une période d'essai», proposa-t-il. Le garçon accepta et retourna se coucher.

Un an plus tard, lorsque le père Noël passa par la cheminée de Samuel, il trouva le garçon assis sur le tapis.

– Alors? demanda le père Noël, est-ce que je t'échange ton petit frère contre un train électrique?

Samuel sourit en secouant la tête de gauche à droite!

– Mon petit frère est un jouet magique! Contrairement aux autres dont je me lasse, plus le temps passe, plus j'ai envie de jouer avec lui!

36

LE LUTIN PARESSEUX

– Debout, petits travailleurs! dit mère Noël en ouvrant les rideaux.

Tomtouk s'étira dans son lit. La seule pensée du chocolat chaud préparé par mère Noël lui donnait tous les matins la force de se lever. Un fumet parfumé, une texture crémeuse, le lutin salivait juste à y penser. Il attrapa sa tasse et s'installa à sa station de travail. Ce jour-là, il devait coudre, en dix tours de fil, les yeux des oursons en peluche.

– Bah! Dix tours de fil ne sont pas utiles, cinq suffiront!

Et il n'en fit plus que cinq.

Le jour suivant commença de la même façon: réveil, chocolat, et au travail! Cette fois-ci, des camions de pompiers attendaient d'être décorés.

– Bah! se dit Tomtouk, on ne voit que l'extérieur, alors peindre l'intérieur, quel labeur!

Et il ne le peignit plus.

Le surlendemain débuta aussi par le réveil, le chocolat, mais... était-ce une impression? La boisson réconfortante semblait moins crémeuse. Lorsque le lutin s'en plaignit à mère Noël, celle-ci lui répondit tout simplement: «Bah!», avant d'ouvrir tout grand son journal.

Les méninges du lutin tournèrent et tournèrent sous son bonnet. Son bonheur matinal... le travail de mère Noël... son propre travail... le bonheur des enfants.

Vite, vite, vite! Il courut chercher oursons et camions! Cette journée-là, le petit lutin paresseux reprit son travail des jours précédents et se promit de ne plus jamais faire ses tâches à moitié!

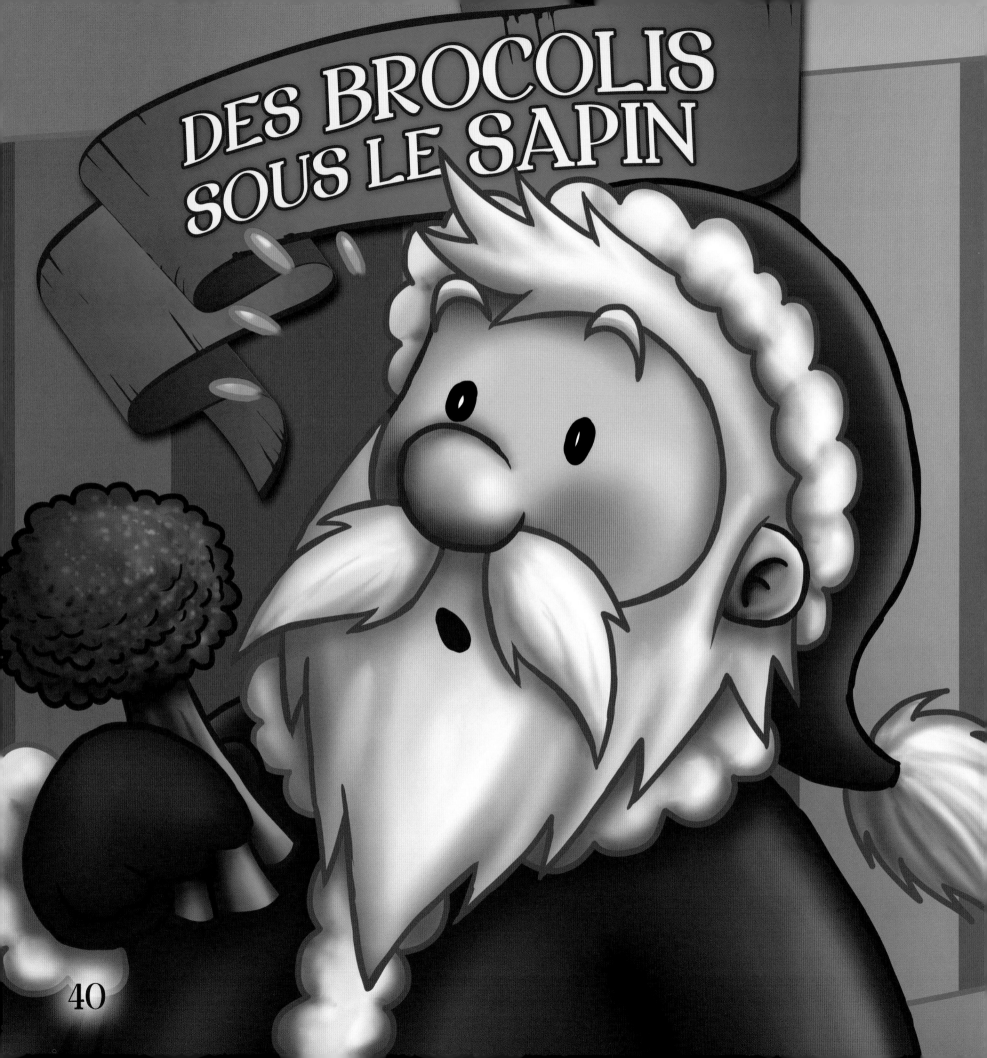

Clémentine préparait, avec sa mère, la liste des pâtisseries à préparer pour le soir du réveillon. Se grattant la tête de son crayon, elle tentait de se remémorer les préférences de chacun. Elle se rappela, l'année précédente, avoir vu sa grand-mère porter à sa bouche quantité de petites boules blanches. En haut de la liste, elle écrivit :

« Pour Clémentine, tarte amandine,
Pour grand-mémé, bonbons pralinés. »

Regardant quelques photos, elle y remarqua son père qui chapardait de petits rectangles sucrés dans le dos de maman. Les nombreuses taches brunes maculant le visage de son petit frère laissaient peu de doute quant à la préférence de celui-ci. Ainsi, la liste continua.

« Pour Clémentine, tarte amandine,
Pour grand-mémé, bonbons pralinés,
Pour papa que j'aime, sucre à la crème,
Pour petit Thomas, truffes au chocolat. »

Elle s'attarda à la cheminée du salon, se rappelant les doigts noirs de sa cousine Annabelle qui y avait posé sa main collante. En remarquant l'étroitesse du conduit, elle s'inquiéta : « Le père Noël est plutôt gras ! Pourra-t-il s'y glisser ? » Affolée, elle écrivit :

« Pour Clémentine, tarte amandine,
Pour grand-mémé, bonbons pralinés,
Pour papa que j'aime, sucre à la crème,
Pour petit Thomas, truffes au chocolat,
Pour Annabelle, bonbons à la cannelle,
Pour père Noël qui doit passer dans le conduit, du brocoli ! »

LA COURONNE DU ROI

Dans un pays lointain, un roi cupide et vaniteux avait doublé les impôts de ses sujets afin de s'offrir, pour Noël, une dispendieuse couronne d'or incrustée de diamants.

Dans la masure de la famille Crécy, la mère et le père préparaient le réveillon. Ils étaient très pauvres, mais ils réussissaient toujours à offrir à leurs enfants de magnifiques cadeaux, faits de leurs propres mains avec des matériaux trouvés dans la forêt.

Toc, toc, toc! Les soldats du roi frappèrent à la porte.

– Le roi désire une nouvelle couronne, expliqua le soldat. Il exige vos derniers écus.

Comme la famille Crécy ne pouvait pas refuser, les soldats emmenèrent leurs économies, laissant les parents incapables d'offrir à leurs enfants le moindre morceau de galette pour Noël.

La mère regarda sur sa table les quelques matériaux naturels qui lui restaient : des branches de sapin, quelques brins de houx, deux pommes de pin... Elle travailla toute la nuit et alla porter, au petit matin, un paquet au pied du sapin du roi.

Quelle ne fut pas la surprise du monarque, au matin de Noël, de trouver deux paquets à son nom. Il les déballa à la hâte. Le premier contenait, évidemment, la couronne dorée qu'il s'était achetée avec l'argent de son peuple. Le deuxième contenait un cercle de branche de sapin joliment décoré. Sur sa joue, une larme coula et glissa jusqu'à sa poitrine, où elle fit fondre son cœur de glace.

On dit qu'à partir de ce jour, ses sujets ne manquèrent plus jamais de rien. On dit aussi que, depuis, il n'a jamais porté sur sa tête qu'une magnifique couronne... de Noël.

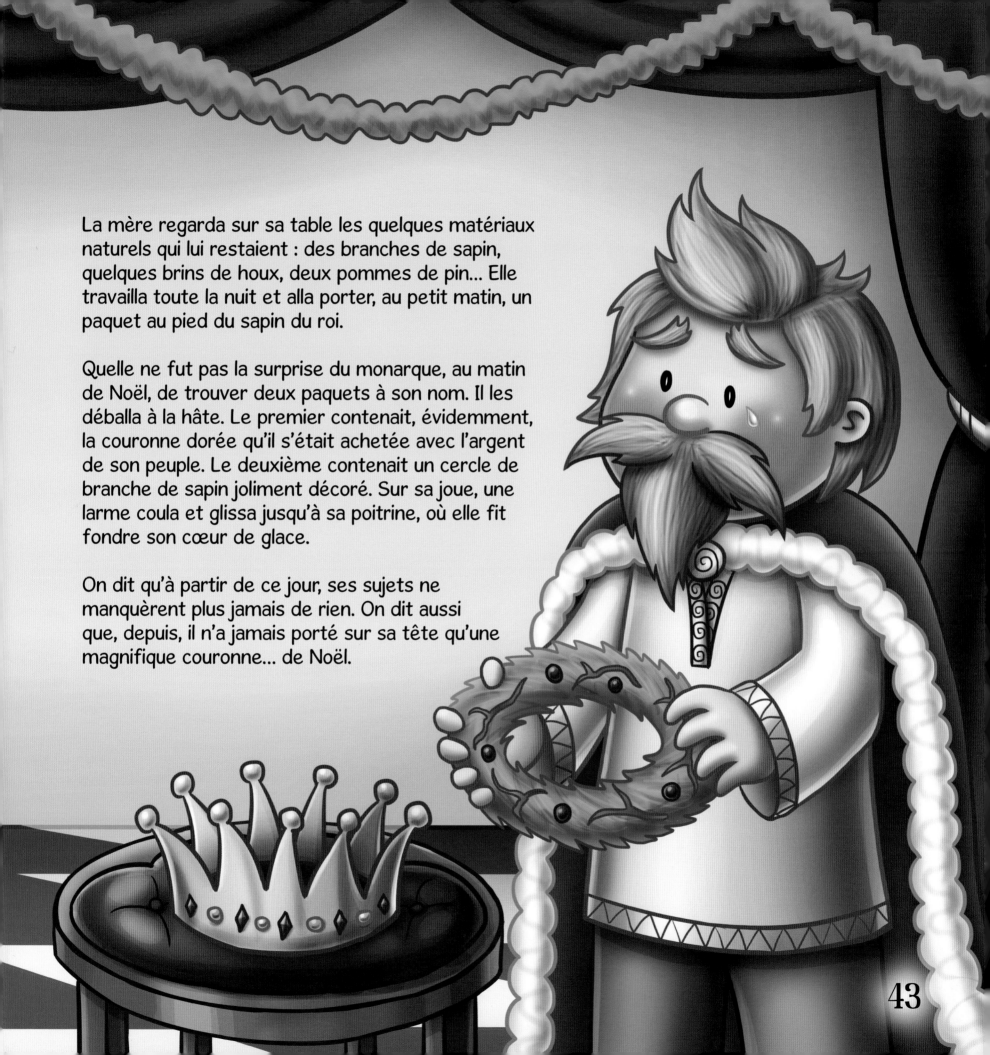

POUDRERIE

Les Lemieux prirent la route, un bon matin de Noël enneigé. Direction: chez mamie Dédé! Fssshou! Le vent soufflait, soufflait sur l'autoroute et soulevait flocons et poudrerie. Put, put, put! La voiture peinait dans la neige. Embourbée, elle s'arrêta complètement.

— Désolé, les enfants, annonça le père. Nous sommes pris dans la neige et ne pouvons aller plus loin.

— Mais les marrons? les cadeaux? et les parties de cachette avec nos cousins? s'alarmèrent Léo et Caroline sur la banquette arrière.

— Ça devra attendre à l'année prochaine.

Snif, snif! Sur la banquette arrière, les petits nez reniflèrent. Bouhouhou! Les enfants furent bientôt inconsolables.

FFFchhhhh! Un véhicule passa tout près. Dans un tourbillon de vent, toute la neige qui emprisonnait la voiture s'envola pour laisser apparaître un corridor complètement dégagé dans le sillon du nouveau venu.

Vroum! Monsieur Lemieux emboîta le pas à ce sauveur qui lui ouvrait le chemin. Ses phares transperçaient le brouillard tout blanc et guidèrent la voiture des Lemieux aussi sûrement que l'aurait fait le petit renne au nez rouge. À la sortie de l'autoroute, les enfants collèrent leur nez à la fenêtre pour observer leur guide qui, lui, continua. Il ne s'agissait ni d'une voiture sport ni d'un puissant 4X4, mais bien d'un traîneau posé sur des skis... À l'arrière, deux lutins tenaient chacun un fanal et saluèrent les enfants de la main.

— Joyeux Noël! crièrent le frère et la sœur en guise de remerciement.

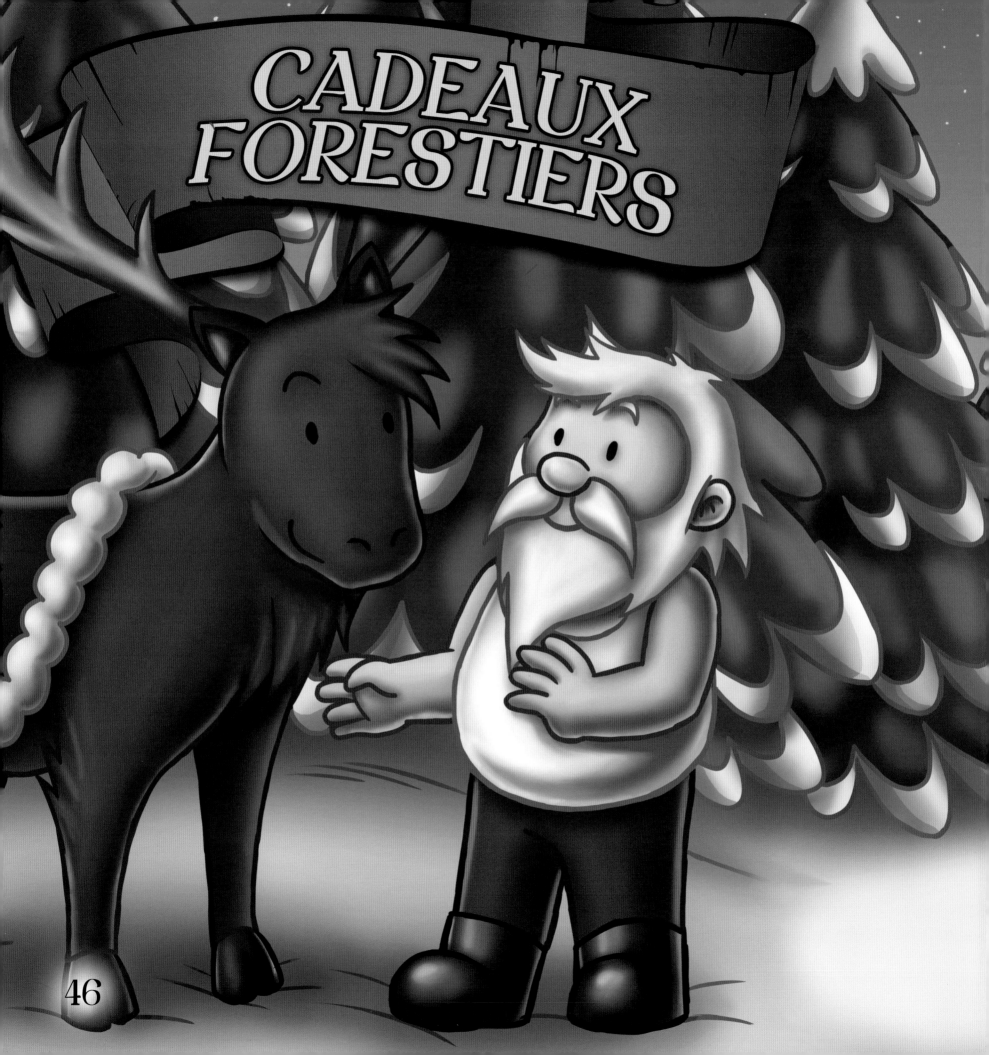

Après sa longue tournée, le père Noël posa son traîneau dans une forêt pour laisser paître ses rennes épuisés.

Flap, flap, flap! Un geai bleu désœuvré vint se poser sur une branche d'épinette.

– Petit papa Noël, j'ai été bien gentil, n'aurais-tu rien pour réparer mon nid?

Scritch, scritch! À petits pas dans la neige, un écureuil grelottant s'approcha.

– Petit papa Noël, j'ai été sage moi aussi, n'aurais-tu rien pour réchauffer mon lit?

Shplotch, shplotch! Un orignal ayant senti les intrus approcha à son tour.

– Petit papa Noël, j'ai très bien obéi, n'aurais-tu rien pour éloigner les fusils?

Le père Noël soupira. Il aurait bien aimé récompenser les habitants de la forêt, mais son grand sac de cadeaux était vide et sa tournée terminée. Pourtant, en cette nuit de Noël, nul ne devait être oublié! Il retira son bonnet, sa chaussette gauche et son grand manteau.

– Pour toi, gélinotte mal logée, un solide bonnet sur lequel te poser. Pour toi, petit écureuil gelé, une bonne chaussette chaude dans laquelle te glisser. Pour toi, orignal poursuivi, une veste voyante pour tromper tes ennemis.

Il arracha les manches du manteau rouge et aida l'orignal à l'enfiler. De loin, les chasseurs le prendraient désormais pour un des leurs. Les animaux, réjouis, lui offrirent mille mercis, et c'est à moitié habillé que le père Noël rentra chez lui!

NOËL BLANC

Maxime habitait dans un pays chaud et possédait la plus belle collection de livres de Noël des environs. Il passait des heures à regarder les illustrations de pôle Nord et de sapins enneigés. Sous le soleil des tropiques, Maxime rêvait d'un Noël blanc. Si bien que c'est la seule chose qu'il demanda au père Noël.

Lorsque la lettre arriva au pôle Nord, le père Noël confia son désarroi à Porcibal, le lutin chargé de surveiller les enfants de cette région. Porcibal connaissait bien Maxime. Il était d'un naturel sage, et sa feuille de route était cette année-là encore plus impeccable qu'à l'accoutumée.

– Je ne peux faire neiger dans cette région, le froid causerait trop de dommages, expliqua le père Noël, chagriné.

Porcibal promit de surveiller le petit garçon pour trouver un cadeau plus traditionnel à lui offrir. Mais il eut une idée. Au matin de Noël, il détourna une volée d'oies en migration vers le village de Maxime. Comme les volatiles passaient au-dessus de sa maison, il demanda au vent du nord de tourbillonner avec force. Les oies se retrouvèrent allégées de leur duvet, et des milliers de plumes blanches descendirent vers le sol. Lorsque Maxime se réveilla, les petites plumes passaient devant sa fenêtre tels les flocons de ses livres. À perte de vue, l'horizon s'était couvert d'une couche ouatée. Le père Noël fut très fier de son lutin. Grâce à lui, Maxime avait eu son Noël blanc.

LA PETITE BULLE DE SAVON

Dans une paille, un garçon souffla une petite bulle de savon par un beau matin de printemps. Elle s'éleva si haut dans les airs que tous la perdirent de vue. En volant au-dessus des nuages, elle se fit dorer les parois tout l'été par les rayons du soleil. Lorsque celui-ci se fit clément, elle descendit survoler une vaste forêt.

Avec l'arrivée de l'automne, les feuilles changèrent de couleur. À force de refléter ces rouges vifs et ces verts foncés, la petite bulle elle-même adopta ces coloris.

Aux premiers jours d'hiver, quelques flocons se déposèrent sur sa surface bariolée.

Plutôt que de faire éclater l'aventurière endurcie, les grains de neige s'y transformèrent en poudre scintillante. Poussée par un vent nordique, elle voyagea jusqu'au pôle Nord.

Chaque année, elles sont des centaines à se poser sur la banquise. Les petites bulles de savon soufflées par un matin de printemps voyagent jusqu'à la fin de l'année. Les lutins les récoltent et leur posent un crochet pour décorer les sapins du monde entier. Regarde ton arbre ! Chaque parcelle de couleur sur la surface des boules de Noël témoigne de la splendeur des paysages aperçus. Peut-être y retrouveras-tu une bulle que tu as toi-même soufflée !